El librito de preguntas y respuestas

Mi casa

Louis Weber, C.E.O.
Publications International, Ltd.
7373 North Cicero Avenue
Lincolnwood, Illinois 60646
U.S.A.

Hecho en México

8 7 6 5 4 3 2 1

ISBN 1-56173-823-9

escrito por Teri Crawford Jones

ilustraciones de T.F. Marsh (cubierta) y Joe Veno (libro)

¿Podrías vivir en una casa flotante todo el año?

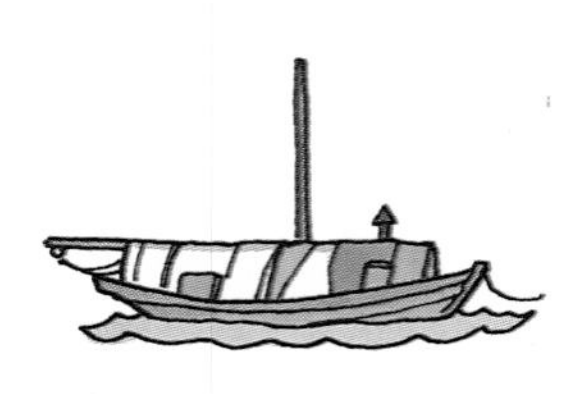

En cualquier parte del mundo que haya agua, probablemente podrás encontrar a alguien que viva en un bote. Algunos chinos, hawaianos y japoneses viven en este tipo de casas, llamadas "sampan".

¿Qué clase de personas viven en tiendas de campaña?

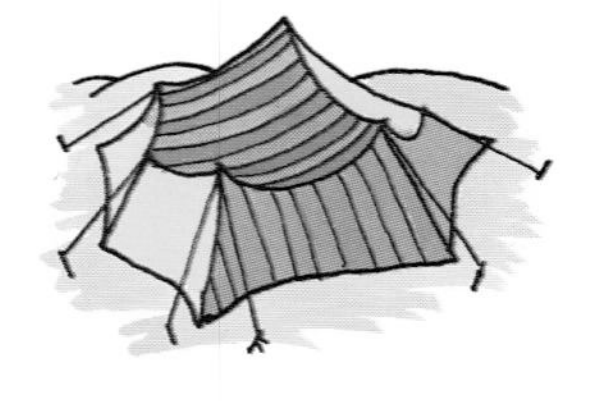

Los pastores de cabras viven en el desierto, en tiendas de campaña que pueden transportar fácilmente para llevar a sus cabras de un campo a otro. Algunas personas en Escandinavia también viven en tiendas de campaña, cuidando a sus manadas de renos.

¿Cómo se calientan los esquimales dentro de un iglú?

El aire afuera de un iglú es lo suficientemente frío para conservarlo congelado, aunque hay una pequeña fogata adentro. El humo de la fogata escapa a través de un agujerito en el techo.

¿Cómo funciona el timbre de una puerta?
Cuando oprimes el botón del timbre, mandas electricidad a una pequeña pieza de metal llamada martillo, que se encuentra en medio de dos campanas. Este martillo se mueve hacia adelante y hacia atrás, golpeando las campanas y provocando así el sonido.

¿Cómo abre una llave la puerta?
Una llave está hecha de tal manera que sus dientes coinciden con pequeñas partes de la cerradura. Cuando se gira la llave hace que sus dientes muevan esas partes. Así, el seguro se corre y la puerta se puede abrir.

¿Por qué tenemos buzones para el correo?
Los buzones protegen el correo de la intemperie. También ahorran mucho tiempo, porque los carteros no necesitan tocar a la puerta para entregar las cartas, simplemente las depositan en el buzón.

TILÍN
TILÍN
CORREO

¿De dónde vienen los programas de TV?

Las cámaras de TV captan imágenes. Después, las imágenes se envían a través del aire, como señales. Una antena recibe las señales y las manda a tu televisión. La televisión cambia las señales por imágenes.

¿Cómo podemos oír voces por el teléfono?

Cuando tú hablas por teléfono, tu voz se vuelve señales que viajan a través de los cables. Cuando las señales de tu voz llegan a la persona que te está escuchando, nuevamente se transforman en tu voz.

¿Qué hace que un foco ilumine?

La electricidad provoca que un alambre delgadito, que está dentro del foco, se caliente muchísimo—tanto que lo hace que ilumine. Este alambrito alumbra durante mucho tiempo, y luego se funde.

¿Cómo se puede mantener frío un refrigerador?

En la parte de atrás de un refrigerador hay unos tubos llenos de un líquido muy frío. Este líquido, que es bombeado por un motor a través de los tubos, enfría el aire dentro del refrigerador.

¿Cómo limpia los platos una lavaplatos?

El detergente y el agua caliente limpian los platos en una lavaplatos. El agua jabonosa sale por todas partes: por arriba, por abajo, de los lados, para limpiar muy bien los platos sucios. El agua sucia se desagua y el agua limpia los enjuaga.

¿Cómo se conserva fresca la comida enlatada?

Las latas de comida están selladas para evitar que el aire y los gérmenes puedan entrar. Sin aire y gérmenes, la comida enlatada puede durar por mucho tiempo.

GUISANTES

¿Por qué flotan los cubos de hielo?

Una taza de agua líquida ocupa menos espacio que cuando está congelada. Esto quiere decir que una taza de agua congelada pesa menos que una de agua líquida. El agua congelada flota en el agua líquida porque es más ligera.

¿Por qué las macetas tienen un hoyo por abajo?

La tierra de las plantas necesita una cantidad exacta de agua para mantenerlas en buena condición—ni de más, ni de menos. El hoyo que tienen las macetas por abajo permite que salga el agua que sobra.

¿Por qué la gente llora cuando rebana cebollas?

Las cebollas son muy jugosas. Cuando rebanas una, pequeñas gotas de jugo flotan en el aire y se te meten a los ojos. Las lágrimas te quitan el ardor provocado por este jugo.

¿Cómo funciona un despertador?

Dentro de un reloj, hay distintas partes que caminan. Cuando pones la alarma, estás mandando instrucciones a estas partes. Cuando llega la hora de despertarte, este mecanismo hace sonar la alarma. ¡Ahora, levántate y disfruta!

¿Por qué son las camas tan fuertes?

Los colchones están rellenos de tela y de resortes de metal. El relleno hace que tu colchón sea suave y confortable. Los resortes ayudan a sostener tu cuerpo mientras duermes. ¡Y también lo hace más fuerte!

¿Qué hay dentro de una almohada?

Algunas almohadas están rellenas de suaves plumas, otras de poliester, y otras están hechas de espuma de caucho. ¿Puedes adivinar de qué está rellena tu almohada favorita?

¿Qué hay dentro de mi osito de peluche?

El relleno de tu osito de peluche puede ser de un suave algodón, o tal vez de espuma de caucho. Si alguien lo hizo a mano, podría estar relleno de tela.

¿Cómo funciona un juguete que habla?

Muchos juguetes que hablan tienen dentro maquinarias que parecen pequeños tocadiscos. Cuando jalas la cuerda del juguete, una aguja toca sobre un mini-disco y entonces el sonido sale por una bocina.

¿Por qué rebota una pelota?

Cuando una pelota tiene suficiente aire, se siente dura y firme. Si la lanzas contra algo, se desinfla un poquito al chocar, pero luego vuelve a tomar su forma. Entonces puede rebotar muy bien.

¡HOLA!

¿Cómo se hacen los creyones?
Primero se derrite cera. Después se le añade los colores. La cera ya colorada se vacía en moldes. Cuando se enfría, los creyones se sacan del molde y se envuelven con papel.

¿Por qué me estremezco cuando rechina una tiza?
Al rechinar una tiza se produce un sonido agudo y rasposo que lastima nuestros oídos y molesta nuestros nervios. Es un sonido tan desagradable que a veces nos pone la carne de gallina y nos pone el pelo de punta.

¿Qué es el barro?
El barro es un tipo de tierra que se saca del suelo y se limpia, quitándole las piedras y ramas que trae. Algunos tipos de barro son hechos por la gente y tienen lindos coloridos.

¿Cómo llega el agua a la taza del inodoro?
El agua limpia se almacena en el tanque que está detrás de la taza. Cuando jalas la palanca, el agua sale del tanque a la taza, y de la taza a la cañería. Mientras tanto, el tanque se vuelve a llenar de agua limpia.

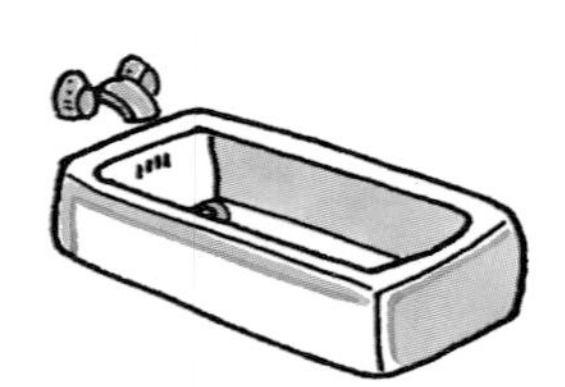

¿Por qué una tina tiene dos coladeras?
La coladera que está en el piso de la tina deja que el agua salga. La que está arriba de la tina evita que el agua se derrame, en caso de que olvides cerrar la llave.

¿Por qué usamos shampoo para lavarnos el cabello?
El cabello necesita un limpiador especial que no es exactamente un jabón. El jabón, por lo general, deja un residuo pegajoso en el cabello, aun después de haberlo enjuagado. El shampoo lo limpia perfectamente sin dejar ningún residuo, y se enjuaga fácilmente.

SHAMPOO

¿Por qué los sótanos casi siempre son fríos?
Al otro lado de las paredes del sótano, hay tierra fría y húmeda. Además, por las ventanas no entra suficiente sol como para calentar.

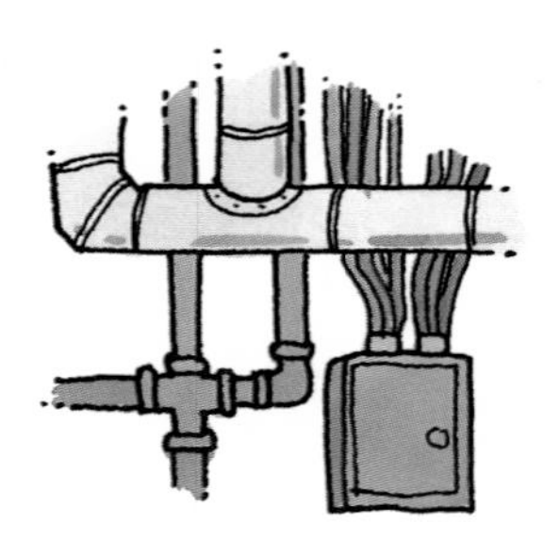

¿Por qúe hay tuberías y cables en el sótano?
El agua llega a la casa por tuberías. La electricidad llega por medio de cables. La calefacción llega a través de unos tubos de agua caliente llamados ductos. Tanto los tubos como los cables quedan ocultos en las paredes en la parte arriba de la casa.

¿Qué son los fusibles y los interruptores?
Es peligroso prender demasiadas cosas al mismo tiempo. Los fusibles y los interruptores pueden desconectar la electricidad antes de que surja un mayor problema. Al fundirse un fusible o quemarse un interruptor, se va la luz y puedes apagar algunas cosas.

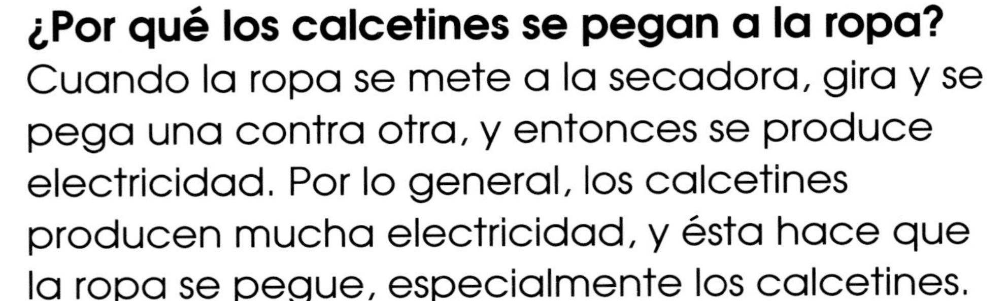

¿Por qué los calcetines se pegan a la ropa?
Cuando la ropa se mete a la secadora, gira y se pega una contra otra, y entonces se produce electricidad. Por lo general, los calcetines producen mucha electricidad, y ésta hace que la ropa se pegue, especialmente los calcetines.

¿Por qué separamos la ropa por colores, al lavarla?
Mucha ropa de color se despinta. Si lavamos una camisa blanca con unas toallas rojas, probablemente la camisa se pinte de rosa. Al lavar la ropa es buena idea separarla por colores.

¿Cómo quita las arrugas una plancha?
El calor quita las arrugas, ¡y las planchas son muy calientes! La parte de abajo alisa muy bien las telas. Algunas planchas son de vapor.

¿Por qué el polvo me hace estornudar?
Las partículas de polvo son tan pequeñas que flotan en el aire y se meten a tu nariz. Eso te produce cosquillas y—¡Achúu! Este estornudo ayuda a limpiar tu nariz de polvo o cualquier otra cosa que se le haya metido.

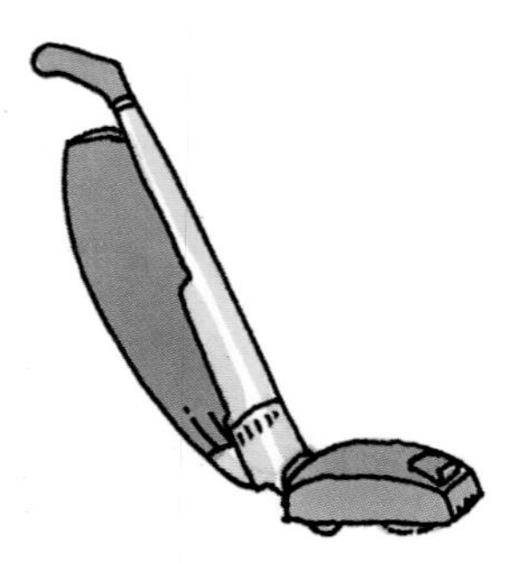

¿Por qué una aspiradora hace ruido?
Una aspiradora tiene un potente y ruidoso motor que absorbe el polvo y lo deposita en una bolsa especial. También tiene unos cepillos especiales para recoger las migas y otros pedacitos de cosas. ¡Todo esto hace mucho ruido!

¿De qué está hecha una esponja?
Una esponja natural viene de un animal de mar. Pero la mayoría de las esponjas que usamos en casa son fabricadas de algún material. Generalmente son de espuma de caucho.

ACHÚÚ

¿Por qué me tengo que mecer para poder columpiarme?
Mecerte en un columpio es como si tú mismo te dieras un empujón. Primero te tienes que inclinar hacia adelante para empujar el columpio hacia atrás. Luego te tienes que hacer hacia atrás para empujar el columpio hacia adelante. Entre más fuerte te mezcas, más alto llegarás.

¿Por qué no funciona el sube y baja si estoy yo solo?
El sube y baja solamente funciona con dos personas. Si te sientas de un lado, y sin nadie en el otro, no te podrás columpiar. El sube y baja funciona mejor cuando las dos personas son más o menos del mismo peso.

¿Por qué un papalote necesita una cola?
La cola de un papalote ayuda a mantenerlo estable y evita que dé vueltas y se enrede. Sin embargo, algunos papalotes están hechos de tal manera que no necesitan colas.

¿Por qué se esponjan las palomitas?

Los granos de maíz de las palomitas contienen agua y algo de almidón. Cuando se calientan, el agua se evapora y el almidón se esponja. De repente, la cubierta del grano de maíz se abre y se convierte en una rica y blanca palomita.